W9-DJP-804

LOS PASOS DEL DINOSAURIO

por **F. R. Storey**
ilustrado por **Tuko Fujisaki**

Scott Foresman

Oficinas editoriales: Glenview, Illinois • New York, New York
Ventas: Reading, Massachusetts • Duluth, Georgia
Glenview, Illinois • Carrollton, Texas • Menlo Park, California

Tony y Elena fueron a la feria.
—Subamos aquí —dijo Elena.
Era Los Pasos del Dinosaurio.

—Mejor no —dijo Tony.

—Te va a gustar —dijo Elena.

Se subieron al primer carrito.

—No creo que me vaya a gustar.
—dijo Tony.

El carrito entró a un túnel gigante. Empezó a sacudirse. Adentro se sentían unos pasos. ¿Eran dinosaurios? "¡Imposible!", pensó Tony.

El carrito se detuvo.

—¡Tony, mira! —dijo Elena. Tony miró hacia donde se escuchaban los pasos.

Vio mucha hierba y muchos árboles.

—Son huellas de un dinosaurio gigante —dijo Elena.

—¡Imposible! —dijo Tony.

—¿Dónde estamos? —dijo Tony.

—Sigamos los pasos del dinosaurio gigante —dijo Elena.

—Mejor no —dijo Tony—. Nos puede aplastar con sus garras.

Elena vio algo. Tony también vio algo.

—¡Mira! ¡Son ornitorrincos! —dijo Elena.

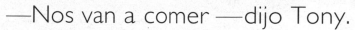

—Nos van a comer —dijo Tony.

—Imposible —dijo Elena—. Sólo comen plantas.

De repente, la tierra comenzó a temblar.

PAM PAM PAM.
—¡Vámonos! —dijo Tony.
Los ornitorrincos huyeron.

Después vieron una cabeza gigante.
—Un tiranosaurio —dijo Elena.
—Ellos sí comen carne —dijo Tony.

El tiranosaurio miró a su alrededor.

—Está siguiendo los pasos de los ornitorrincos —dijo Elena.

El tiranosaurio siguió a los ornitorrincos. Tony corrió al carrito rojo.

—Vámonos antes de que vuelva —dijo Tony.

—Me gustan los dinosaurios —dijo Elena.

—A mí también me gustan —dijo Tony—. ¡Pero sólo en los libros!

El carrito entró al túnel gigante.
Empezó a sacudirse.

—Tony, vamos a Júpiter
—dijo Elena.

Tony miró a Elena.

—¡Mejor no! —dijo Tony.

Viaje a Júpiter

—¡Mejor no! ¡Mejor no!

De repente, Tony se despertó.

—Mejor me quedo en la cama hoy
—Tony le dijo a su gato.